하루 한 장 75일

# 교과 연산

# P0

7세~초1 <수특강> 19까지의 수

# 변화를 정확히 이해해야 합니다.

수학의 기본이면서 이제는 필수가 된 연산 학습, 그런데 왜 우리 아이들은 많은 학습지를 풀고도 학교에 가면 연산 문제를 해결하지 못할까요?

지금 우리 아이들이 학습하는 교과서는 과거와는 많이 다릅니다. 단순 계산력을 확인하는 문제 대신 다양한 상황을 제시하고 상황에 맞게 문제를 해결하는 과정을 평가합니다. 그래서 단순히 계산하여 답을 내는 것보다 문장을 이해하고 상황을 판단하여 스스로 식을 세우고 문제를 해결하는 복합적인 사고 과정이 필요합니다.

그림을 보고 상황을 판단하는 능력, 그림을 보고 상황을 말로 표현하는 능력, 문장을 이해하는 능력 등 상황 판단 능력을 길러야 하는 이유입니다.

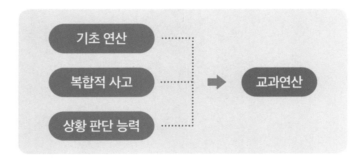

연산 원리를 학습함에 있어서도 대표적인 하나의 풀이 방법을 공식처럼 외우기만 해서는 지금의 연산 문제를 해결하기 어렵습니다. 연산 학습과 함께 다양한 방법으로 수를 분해하고 결합하는 과정, 즉 수 자체에 대한 학습도 병행되어야 합니다.

교과연산은 연산 학습과 함께 수 자체를 온전히 학습할 수 있도록 단계마다 '수특강'을 구성하고 있습니다.

계산은 문제를 해결하는 하나의 과정으로서의 의미가 큽니다.

학교에서 배우게 될 내용과 직접적으로 관련이 있는 교과연산으로 가장 먼저 시작하기를 추천드립니다.

요즘 연산은 교과 연산입니다.

## "계산은 그 자체가 목적이 아닙니다. 문제를 해결하는 하나의 과정입니다."

# 하루 **한** 장, 75일에 완성하는 **교과연산**

한 단계는 총 4권으로 수를 학습하는 0권과 연산을 학습하는 1권, 2권, 3권으로 구성되어 있습니다.

수특강
25강

집중 교과연산
25일   25일   25일

**수특강**
수 영역은 연산과 뗄래야 뗄 수 없습니다. 수 영역을 제대로 학습하지 않고 연산만 한다면 연산 원리를 이해하는 데 부족함이 있습니다.
교과연산은 연산 학습을 하면서 반드시 필요한 수 영역을 수특강으로 해결합니다.

**교과연산**
기초 연산도 합니다. 연산 원리를 이해하고 계산 연습도 합니다. 그에 더해서 교과연산은 다양한 상황 문제를 제시하여 상황에 맞는 식을 세우고 문제를 해결하는 상황 판단 능력을 길러줍니다.

**"연산을 이해하기 위해서는 수를 먼저 이해해야 합니다."**

# 원리는 기본, 복합적 사고 문제까지 다루는 교과연산

## 원리
수와 연산의 원리를
이해하고 연습합니다.

## 복합적 사고
연산 원리를 이용하여
다양한 소재의 복합적
문제를 해결합니다.

## 상황 판단 문제
문장 이해력을 기르고
상황에 맞는 식을 세워
문제를 해결합니다.

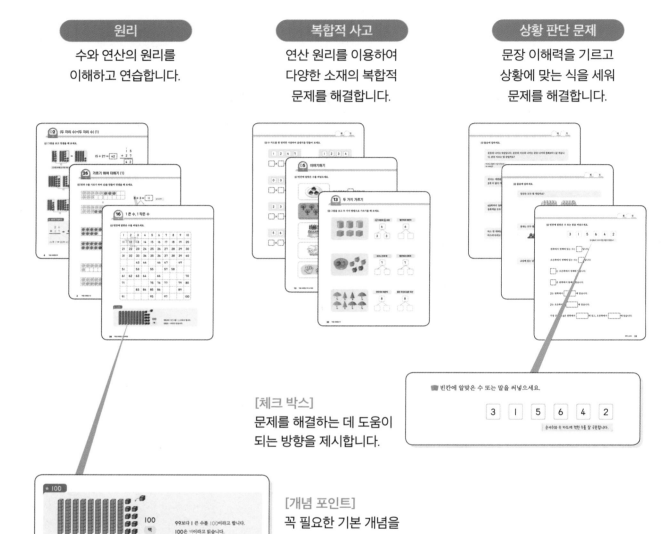

[체크 박스]
문제를 해결하는 데 도움이
되는 방향을 제시합니다.

[개념 포인트]
꼭 필요한 기본 개념을
설명합니다.

"교과연산은 꼬이고 꼬인 어려운 연산이 아닙니다.
일상 생활 속에서 상황을 판단하는 능력을 길러주는 연산입니다."

# 하루 **한** 장, **75**일 집중 완성 교과연산 **묻고 답하기** Q & A

## Q1 왜 교과연산인가요?

지금의 교과서는 과거의 교과서와는 많이 다릅니다. 하지만 아쉽게도 기존의 연산학습지는 과거의 연산 학습 방법을 그대로 답습하고 변화를 제대로 반영하지 못하고 있습니다. 교과연산은 교과서의 변화를 정확히 이해하고 체계적으로 학습을 할 수 있도록 안내합니다.

## Q2 다른 연산 교재와 어떻게 다른가요?

교과연산은 변화된 교과서의 핵심 내용인 상황 판단 능력과 복합적 사고력을 길러주는 최신 연산 프로그램입니다. 또한 연산 학습의 바탕이 되는 '수'를 수특강으로 다루고 있어 수학의 기본이 되는 연산학습을 체계적으로 학습할 수 있습니다.

## Q3 학교 진도와는 맞나요?

네, 교과연산은 학교 수업 진도와 최신 개정된 교과 단원에 맞추어 개발하였습니다.

## Q4 단계 선택은 어떻게 해야 할까요?

권장 연령의 학습을 추천합니다.
다만, 처음 교과 연산을 시작하는 학생이라면 한 단계 낮추어 시작하는 것도 좋습니다.

## Q5 '수특강'을 먼저 해야 하나요?

'수특강'을 가장 먼저 학습하는 것을 권장합니다. P단계를 예로 들어보면 P0(수특강)을 먼저 학습한 후 차례대로 P1~P3 학습을 진행합니다. '수특강'은 각 단계의 연산 원리와 개념을 정확하게 이해하고 상황 문제를 해결하는 데 디딤돌이 되어줄 것입니다.

# 이 책의 차례

# 01강 몇

🔷 알맞게 이어 보세요.

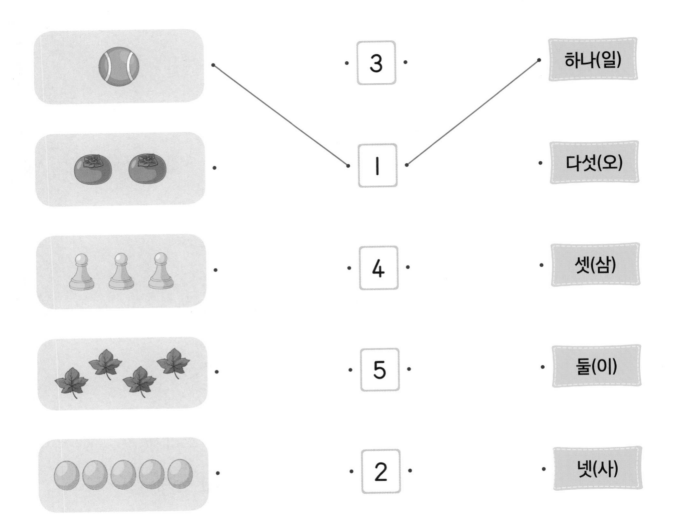

📘 알맞게 이어 보세요.

· · 7 · · 일곱(칠)

· · 5 · · 아홉(구)

· · 9 · · 여덟(팔)

· · 6 · · 다섯(오)

· · 8 · · 여섯(육)

## 02강 수만큼 그리기

🔷 수만큼 되도록 색칠해 보세요.

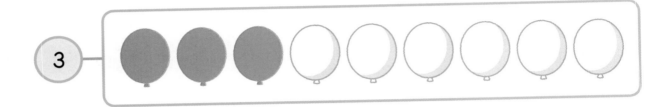

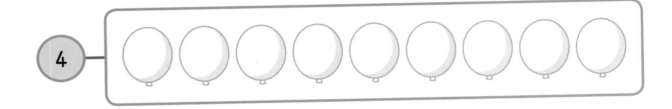

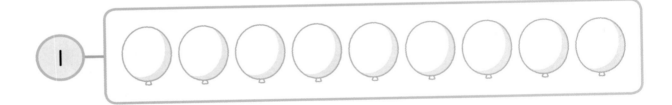

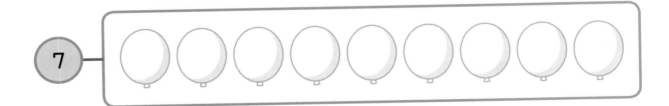

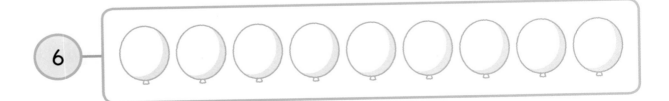

📖 수만큼 되도록 ○를 더 그려 보세요

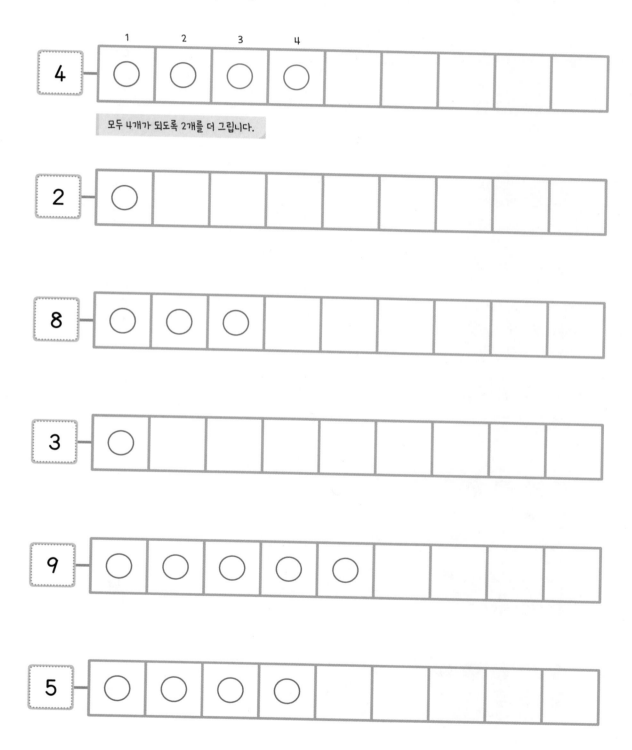

모두 4개가 되도록 2개를 더 그립니다.

# 수 읽고 쓰기

📖 빈칸에 알맞은 수 또는 말을 써넣으세요.

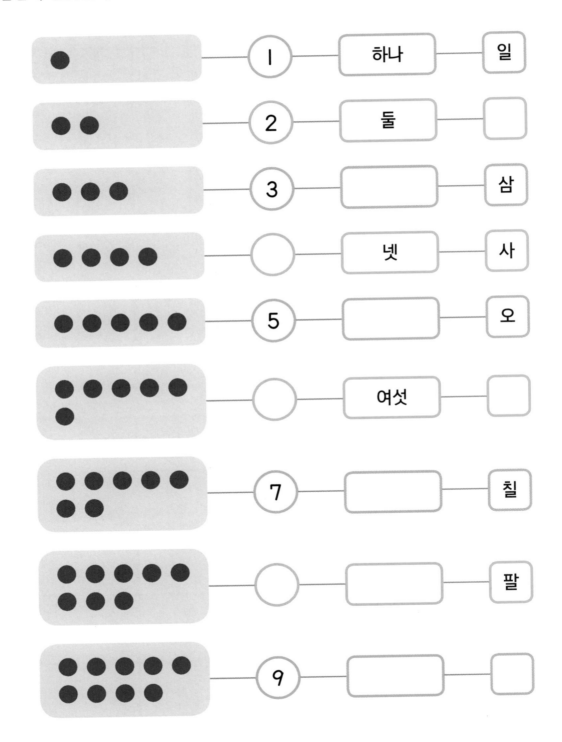

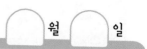 

■ 다른 것 하나에 ×표 하세요.

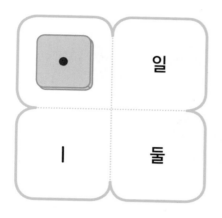

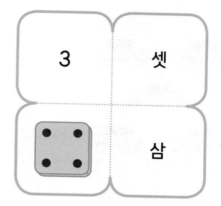

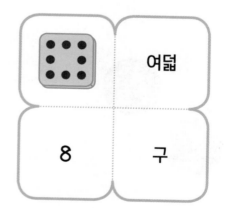

수를 세어 써 보세요

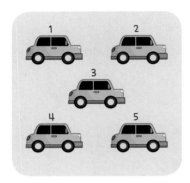

5

빈칸에 알맞은 수를 써넣으세요.

 : [ ] 개

 : [ ] 개

 : [ ] 개

 : [ ] 개

 : [ ] 개

 : [ ] 마리

 : [ ] 마리

 : [ ] 마리

# 이야기하기

■ 빈칸에 알맞은 수를 써넣으세요.

접시 위에 밤이 □ 개 있습니다.

접시 위에 밤이 세 개 있습니다.

공원에 나무가 □ 그루 있습니다.

케이크에 초가 □ 개 꽂혀 있습니다.

양의 다리는 □ 개입니다.

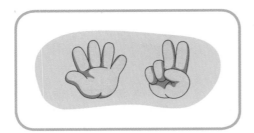

펼친 손가락은 □ 개,

접은 손가락은 □ 개입니다.

빈칸에 알맞은 수를 써넣으세요.

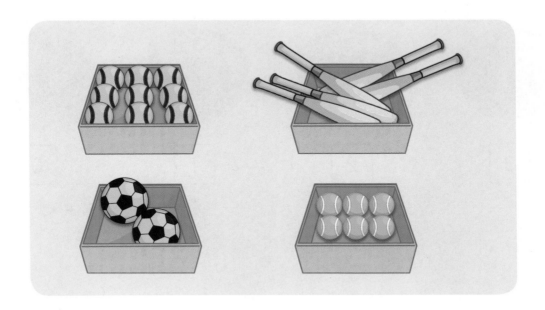

상자 안에 축구공이 ☐ 개 있습니다.

상자 안에 야구공이 ☐ 개 있습니다.

상자 안에 테니스공이 ☐ 개 있습니다.

상자 안에 야구방망이가 ☐ 개 있습니다.

상자는 ☐ 개 있습니다.

빈칸에 알맞은 수를 써넣어 아무 것도 없는 것을 알아보세요.

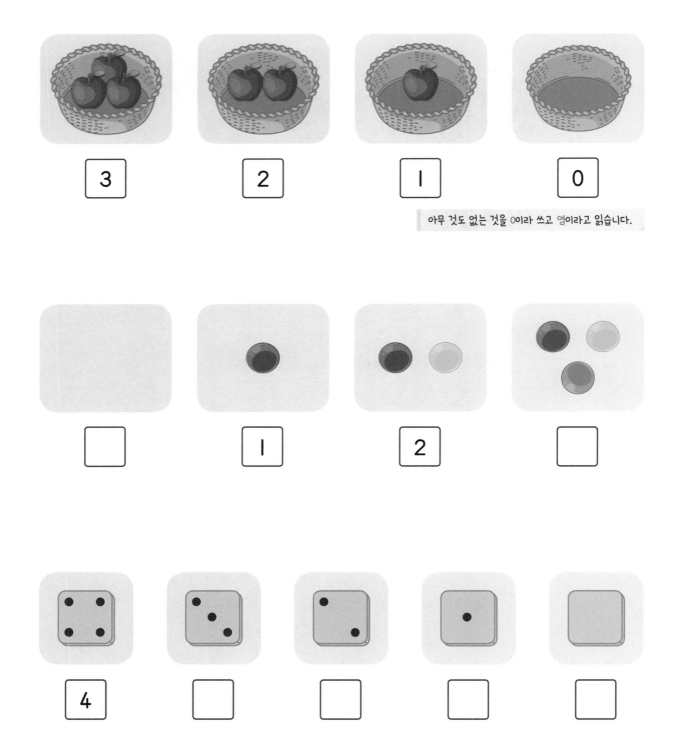

아무 것도 없는 것을 0이라 쓰고 영이라고 읽습니다.

## 2주차  십과 십몇

■ 10개씩 묶고 수로 나타내어 보세요. 알맞게 이어 보세요

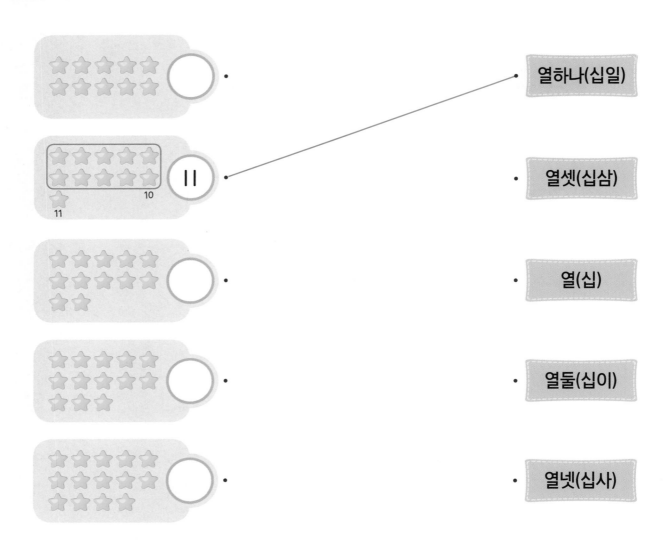

★ 19까지의 수

| 수 | 9 | 10 | 11 | 12 | 13 |
|---|---|---|---|---|---|
| 점 | ●●●●●●●●● | ●●●●●●●●●● | ●●●●●●●●●●<br>● | ●●●●●●●●●●<br>●● | ●●●●●●●●●●<br>●●● |
| 읽기 | 아홉 | 열 | 열하나 | 열둘 | 열셋 |
| | 구 | 십 | 십일 | 십이 | 십삼 |

🃏 I0개씩 묶고 수로 나타내어 보세요. 알맞게 이어 보세요

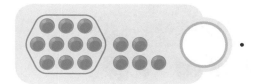 · · **열일곱(십칠)**

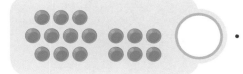 · · **열여덟(십팔)**

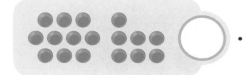 · · **열다섯(십오)**

 · · **열아홉(십구)**

 · · **열여섯(십육)**

| 14 | 15 | 16 | 17 | 18 | 19 |
|---|---|---|---|---|---|
| ●●●●●●●●●●<br>●●●● | ●●●●●●●●●●<br>●●●●● | ●●●●●●●●●●<br>●●●●●● | ●●●●●●●●●●<br>●●●●●●● | ●●●●●●●●●●<br>●●●●●●●● | ●●●●●●●●●●<br>●●●●●●●●● |
| 열넷 | 열다섯 | 열여섯 | 열일곱 | 열여덟 | 열아홉 |
| 십사 | 십오 | 십육 | 십칠 | 십팔 | 십구 |

# 개수 세기

수를 세어 써 보세요.

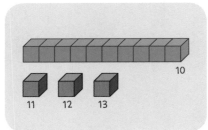

13

10개씩 묶음 1개와 낱개 3개는 13입니다.

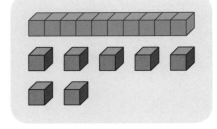

10개씩 묶음 1개와 낱개 7개는 17입니다.

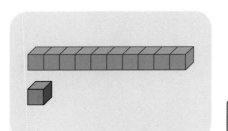

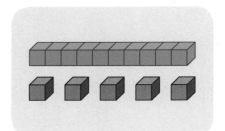

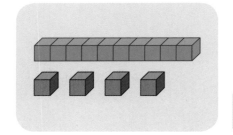

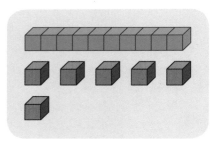

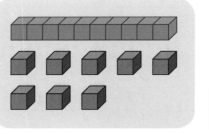

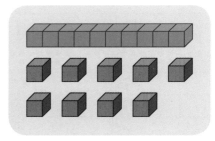

블록의 수를 세어 보세요.

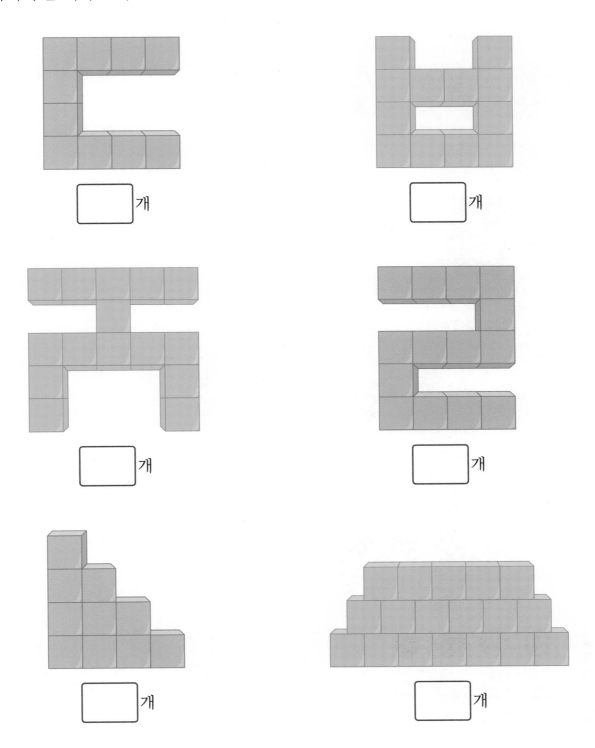

□ 개

□ 개

□ 개

□ 개

□ 개

□ 개

■ 빈칸에 알맞은 수를 써넣으세요.

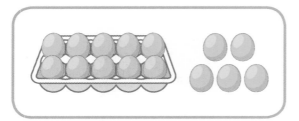

달걀은 10개씩 묶음이 1개, 낱개가 ☐ 개 있습니다. 달걀은 모두 ☐ 개입니다.

달걀은 모두 열다섯 개 있습니다.

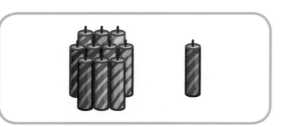

초는 10개씩 묶음이 1개, 낱개가 ☐ 개 있습니다. 초는 모두 ☐ 개입니다.

빵은 모두 ☐ 개입니다.

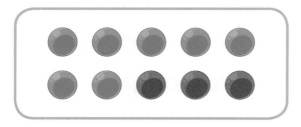

7과 3을 모으기 하면 ☐ 이 됩니다.

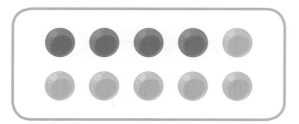

4와 ☐ 을 모으기 하면 10이 됩니다.

📖 바르게 읽은 것에 ◯표 하세요.

구슬이 ( 일곱 , 칠 )개 있습니다.

밤을 ( 열 , 십 )개 땄습니다.

( 열 , 십 )일 후는 주원이의 생일입니다.

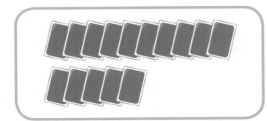

카드가 ( 열다섯 , 열오 )장 있습니다.

민서의 집은 ( 열한 , 십일 )층입니다.

# 이어 세어 모으기

🔹 모으기를 해 보세요.

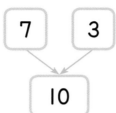

7과 3을 모으기 하면 10이 됩니다.

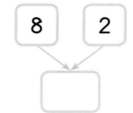

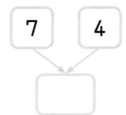

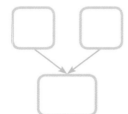

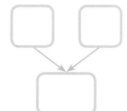

모아서 ☐ 안의 수가 되는 것끼리 이어 보세요.

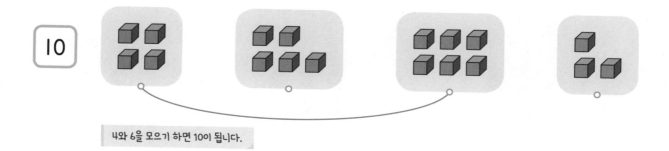

4와 6을 모으기 하면 10이 됩니다.

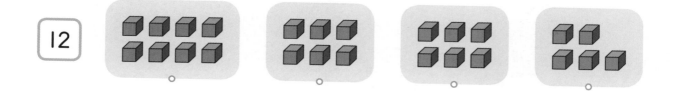

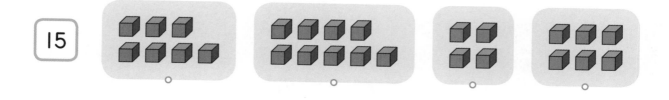

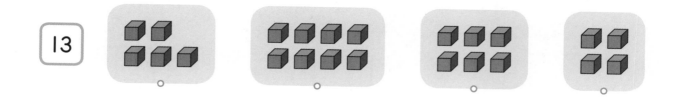

# 이어 세어 가르기

가르기를 해 보세요.

```
    10
   ↙  ↘
  4     6
```

10은 4와 6으로 가르기 할 수 있습니다.

```
    10
   ↙  ↘
  5    
```

```
    12
   ↙  ↘
  8    
```

```
     
   ↙  ↘
  6    
```

```
     
   ↙  ↘
 10    
```

```
     
   ↙  ↘
  6    
```

두 가지 색으로 칸 수가 같도록 색칠하고 ☐와 ☐에 같게 가르기를 해 보세요.

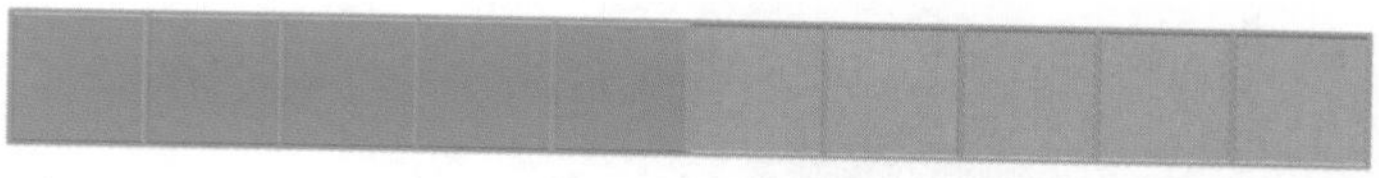

10을 똑같이 둘로 가르기 하면
5와 5로 가르기 할 수 있습니다.

10
5  5

12
☐  ☐

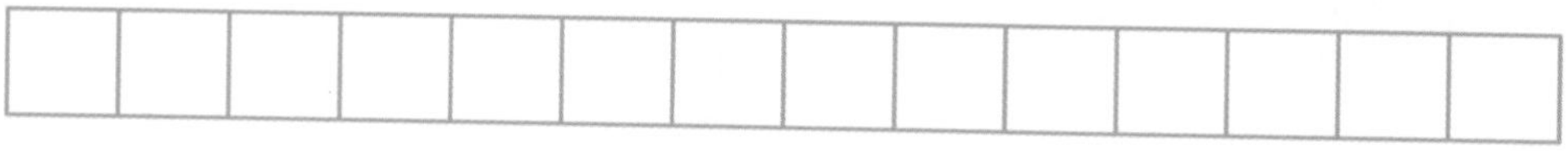

14
☐  ☐

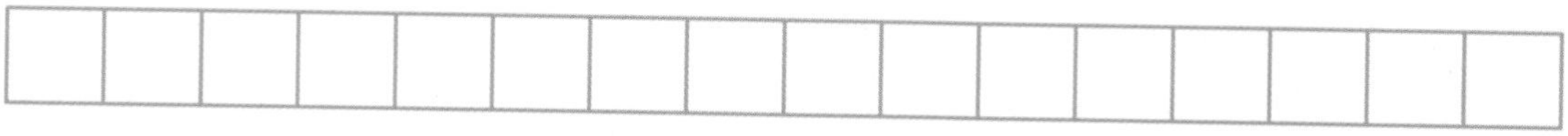

16
☐  ☐

■ 13칸을 두 가지 색으로 색칠하고 □보다 □에 더 많도록 여러 가지 방법으로 가르기를 해 보세요.

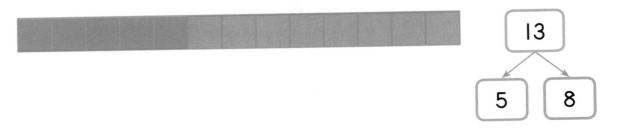

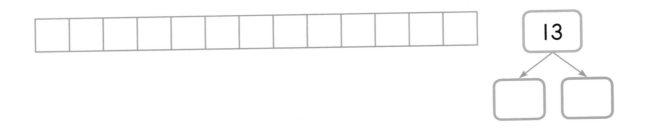

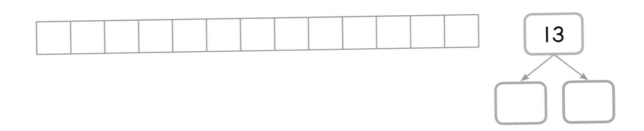

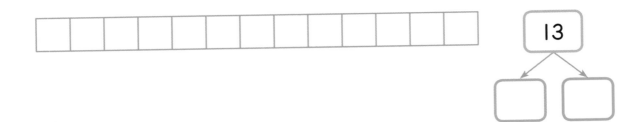

# 3주차 순서수

## 11강 몇째

다음과 같이 수와 순서수에 맞게 색칠해 보세요.

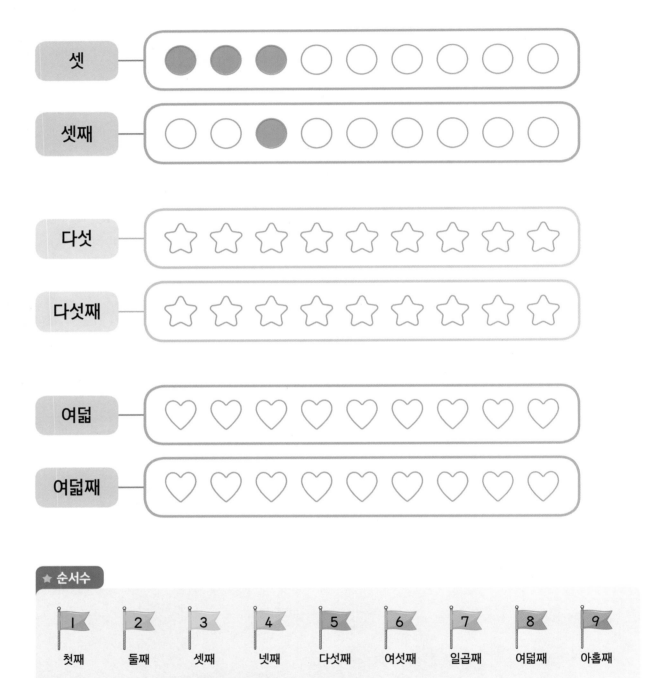

순서에 맞는 그림을 찾아 ◯표 하세요.

넷째

첫째

여섯째

첫째

둘째

첫째

아홉째

첫째

일곱째

첫째

# 순서 찾기

■ 순서에 맞게 이어 보세요.

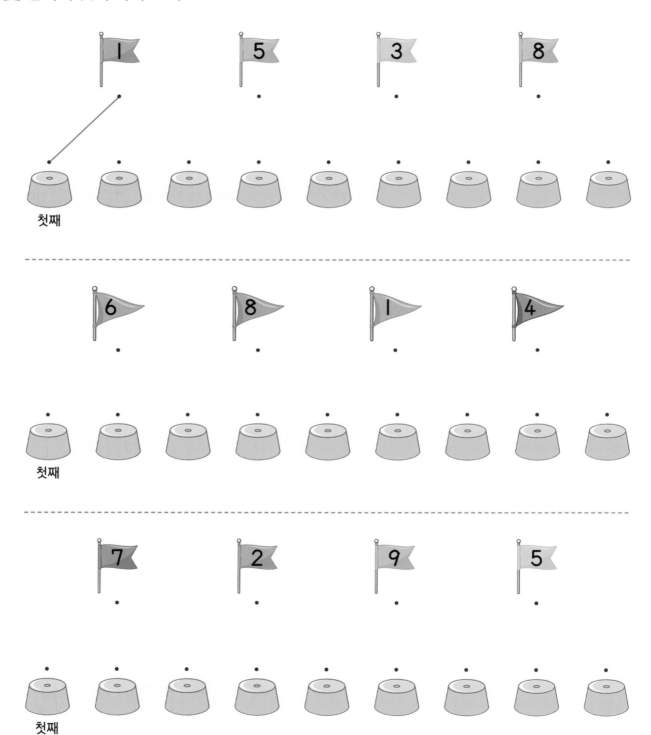

📘 순서에 맞게 빈칸에 수를 써넣으세요.

# 방향과 순서 (1)

🔵 알맞게 이어 보세요.

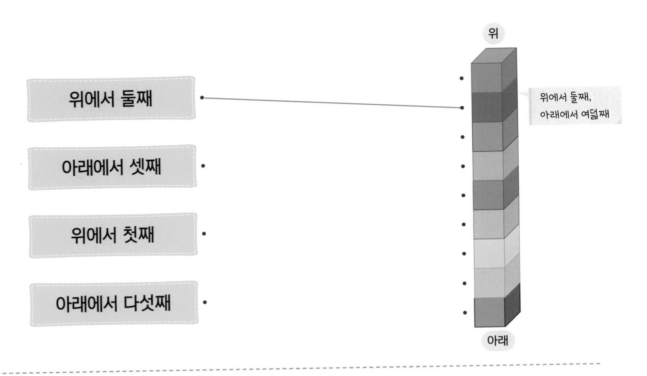

위

위에서 둘째

아래에서 셋째

위에서 첫째

아래에서 다섯째

위에서 둘째,
아래에서 여덟째

아래

위에서 넷째

아래에서 일곱째

위에서 여덟째

아래에서 셋째

알맞게 이어 보세요.

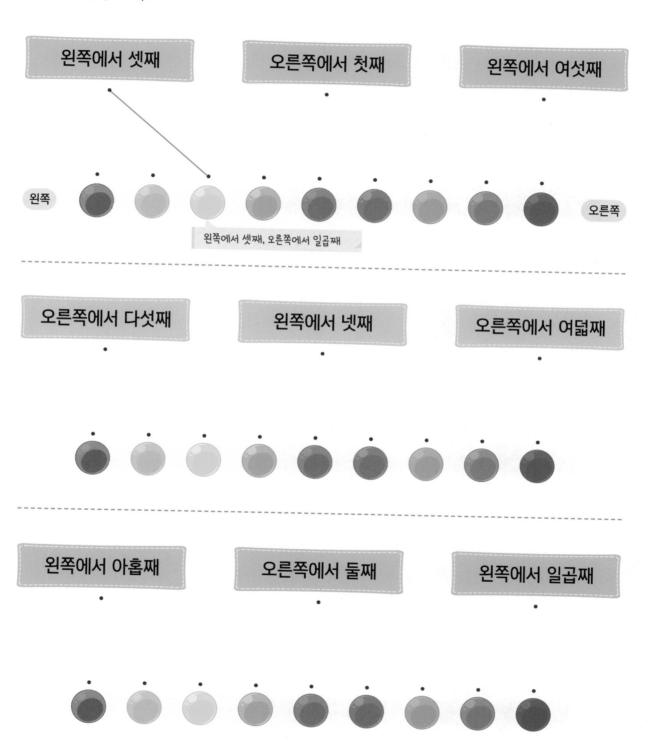

왼쪽에서 셋째

오른쪽에서 첫째

왼쪽에서 여섯째

왼쪽

왼쪽에서 셋째, 오른쪽에서 일곱째

오른쪽

오른쪽에서 다섯째

왼쪽에서 넷째

오른쪽에서 여덟째

왼쪽에서 아홉째

오른쪽에서 둘째

왼쪽에서 일곱째

🎴 순서에 맞는 수 카드에 ○표 하세요.

**왼쪽에서 둘째**

왼쪽 | 2 | (1) | 5 | 4 | 3 | 오른쪽

왼쪽에서 둘째에 있는 수는 1입니다.

**오른쪽에서 셋째**

3 | 5 | 2 | 1 | 4

**왼쪽에서 첫째**

4 | 3 | 1 | 2 | 5

**오른쪽에서 둘째**

1 | 5 | 4 | 2 | 3

**왼쪽에서 넷째**

3 | 2 | 5 | 4 | 1

**오른쪽에서 다섯째**

5 | 4 | 1 | 3 | 2

■ 빈칸에 알맞은 수 또는 말을 써넣으세요.

| 3 | 1 | 5 | 6 | 4 | 2 |

순서수와 수 카드에 적힌 수를 잘 구분합니다.

왼쪽에서 첫째에 있는 수는 ☐ 입니다.

오른쪽에서 셋째에 있는 수는 ☐ 입니다.

☐ 는 오른쪽에서 넷째에 있습니다.

☐ 은 왼쪽에서 둘째에 있습니다.

2는 왼쪽에서 ☐ 에 있습니다.

2는 오른쪽에서 ☐ 에 있습니다.

가장 큰 수인 6은 왼쪽에서 ☐ 에 있고, 오른쪽에서 ☐ 에 있습니다.

순서에 맞게 이어 보세요.

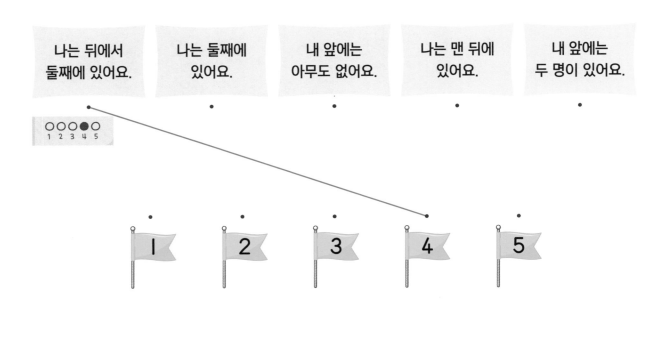

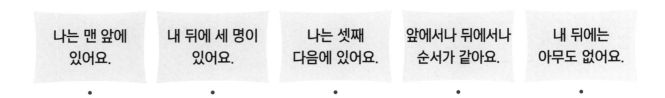

■ 물음에 답하세요.

4명이 줄을 서 있습니다. 성민이가 앞에서 셋째에 서 있다면 뒤에서는 몇째에 서 있을까요?

( 　둘째　 )

그림을 그려서 알아봅니다.
○ ○ ● ○　　성민이는 앞에서 셋째, 뒤에서 둘째에 있습니다.
　　성민

4명이 달리기를 하고 있습니다. 민지가 앞에서 둘째로 달리고 있다면 뒤에서는 몇째로 달리고 있을까요?

( 　　　　 )

5명이 줄을 서 있습니다. 우재가 앞에서 첫째에 서 있다면 뒤에서는 몇째로 서 있을까요?

( 　　　　 )

6명이 달리기를 하고 있습니다. 예은이가 뒤에서 셋째로 달리고 있다면 앞에서는 몇째로 달리고 있을까요?

( 　　　　 )

6명이 줄을 서 있습니다. 훈이가 뒤에서 다섯째에 서 있다면 앞에서는 몇째로 서 있을까요?

( 　　　　 )

지아는 앞에서 둘째, 뒤에서 셋째에 서 있습니다.
줄을 서 있는 사람은 모두 몇 명일까요?

4 명

그림을 그려서 알아봅니다.
1 2
○●○○ ➡ ○●○○
3 2 1        지아

선우는 앞에서 넷째, 뒤에서 첫째에 서 있습니다.
줄을 서 있는 사람은 모두 몇 명일까요?

명

서연이는 앞에서 셋째, 뒤에서 셋째로 달리고 있습니다.
달리기를 하는 사람은 모두 몇 명일까요?

명

현수 앞에는 한 명, 현수 뒤에는 세 명이 달리고 있습니다.
달리기를 하는 사람은 모두 몇 명일까요?

명

세영이의 앞에는 세 명, 뒤에는 두 명이 줄을 서 있습니다.
줄을 서 있는 사람은 모두 몇 명일까요?

명

📖 순서에 맞게 수를 써 보세요.

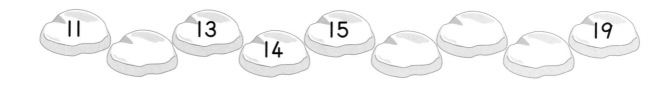

9 다음 수는 10입니다.

규칙을 찾아 순서에 맞게 수를 써 보세요.

| 1 | 2 | 3 |
|---|---|---|
|   |   | 6 |
| 7 | 8 |   |

| 1 | 4 |   |
|---|---|---|
| 2 |   |   |
|   | 6 | 9 |

|    | 16 |    |
|----|----|----|
| 12 |    | 18 |
| 11 | 14 |    |

| 11 |    | 13 |
|----|----|----|
| 14 | 15 |    |
|    |    | 19 |

| 1 |   | 7 | 10 |    |
|---|---|---|----|----|
| 2 | 5 |   |    | 14 |
|   | 6 |   | 12 |    |

수를 순서대로 이어 보세요.

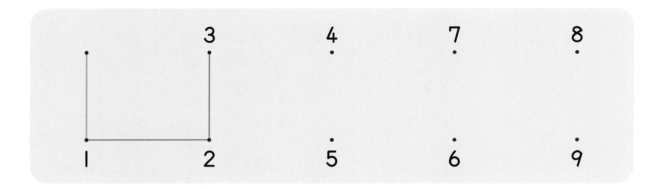

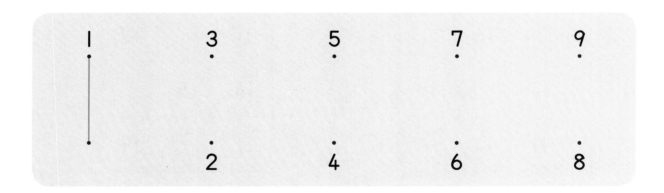

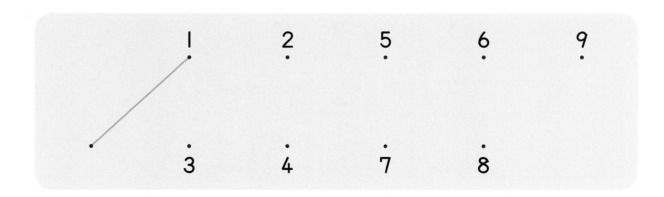

수를 순서대로 이어 보세요.

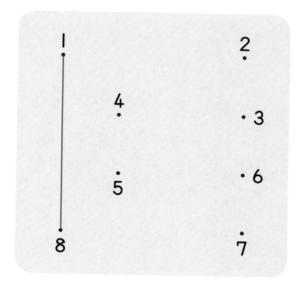

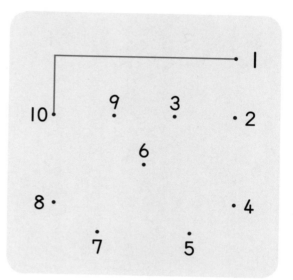

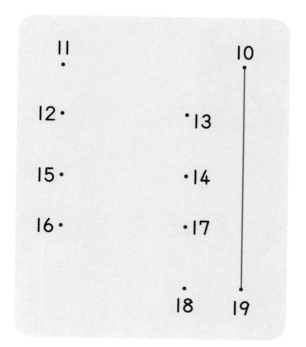

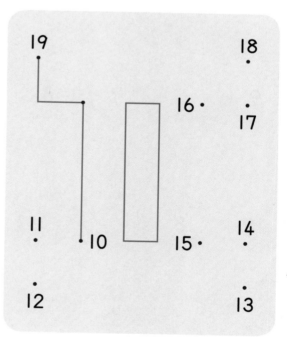

■ 순서를 거꾸로 하여 수를 써 보세요.

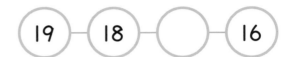

📘 규칙을 찾아 순서를 거꾸로 하여 수를 써 보세요.

| 9 | 8 |   |
|---|---|---|
| 6 |   | 4 |
| 3 |   |   |

| 9 |   | 3 |
|---|---|---|
|   |   | 2 |
| 7 | 4 |   |

| 19 |    | 17 |
|----|----|----|
| 16 | 15 |    |
|    |    | 11 |

| 19 | 16 |    |
|----|----|----|
| 18 |    | 12 |
|    |    |    |

| 15 | 10 | 9 |   | 3 |
|----|----|---|---|---|
| 14 | 11 |   | 5 |   |
|    |    | 7 |   | 1 |

# 19강 1 큰 수, 1 작은 수 (1)

🎴 l 작은 수와 l 큰 수를 나타내는 것을 찾아 이어 보세요.

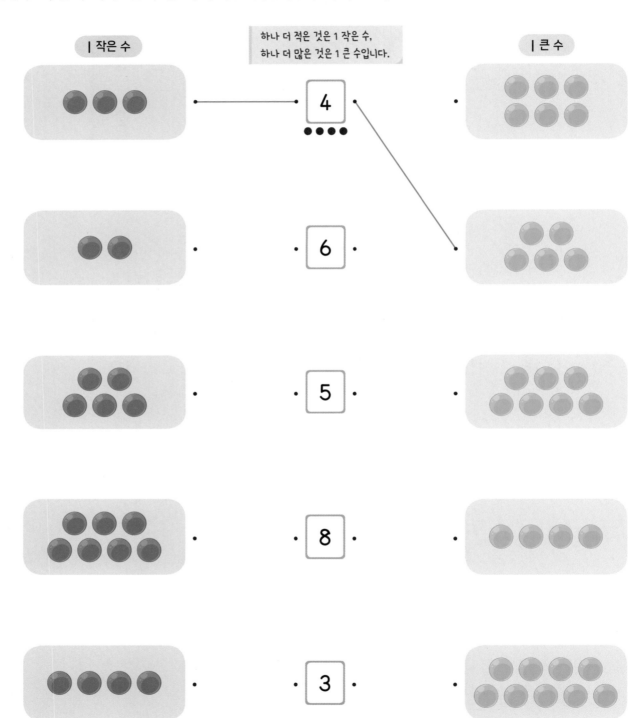

■ 빈칸에 알맞은 수를 써넣으세요.

**| 작은 수**       **| 큰 수**

( 2 ) — ( 3 ) — ( )

( ) — ( 4 ) — ( 5 )

( ) — ( 5 ) — ( )

**| 작은 수**       **| 큰 수**

( ) — ( 8 ) — ( 9 )

( 6 ) — ( 7 ) — ( )

( ) — ( 6 ) — ( )

**| 작은 수**       **| 큰 수**

( ) — ( 4 ) — ( )

( ) — ( 2 ) — ( )

( ) — ( 7 ) — ( )

**| 작은 수**       **| 큰 수**

( ) — ( 1 ) — ( )

( ) — ( 3 ) — ( )

( ) — ( 8 ) — ( )

■ 빈칸에 알맞은 수를 써넣으세요.

0 — 1 — 2 — 3 — 4 — 5 — 6 — 7 — 8 — 9 — 10

4보다 1 큰 수는 　5　 입니다.

수를 써넣고 올바른 문장인지 읽어 봅니다.

8보다 1 작은 수는 　　 입니다.

9보다 1 큰 수는 　　 입니다.

5보다 1 작은 수는 　　 입니다.

　　 은 1보다 1 작은 수입니다.

　　 는 1보다 1 큰 수입니다.

　　 은 9보다 1 작은 수입니다.

　　 는 8보다 1 큰 수입니다.

　　 보다 1 큰 수는 8입니다.

　　 보다 1 작은 수는 6입니다.

　　 는 3보다 1 큰 수이고 　　 보다 1 작은 수입니다.

빈칸에 알맞은 수를 써넣으세요.

첫째 수는 8보다 1 작은 수입니다.
셋째 수는 8보다 1 큰 수입니다.

| 7 | 8 |   |

8보다 1 작은 수는 7입니다.
⑦-⑧-⑨

첫째 수는 5보다 1 큰 수입니다.
셋째 수는 5보다 1 작은 수입니다.

|   | 5 |   |

둘째 수는 2보다 1 큰 수입니다.
셋째 수는 3보다 1 큰 수입니다.

| 2 |   |   |

둘째 수는 9보다 1 작은 수입니다.
셋째 수는 8보다 1 작은 수입니다.

| 9 |   |   |

■ 물음에 답하세요.

기훈이는 **5**가 적힌 수 카드를 가지고 있습니다. 카드에 적힌 수보다 **1** 큰 수는 무엇일까요?

**6**

5보다 1 큰 수는 6입니다.
④─⑤─⑥

구슬이 **4**개 있습니다. 구슬의 수보다 **1** 작은 수는 무엇일까요?

진우는 귤을 **4**개 먹었고 선재는 진우보다 **1**개 더 많이 먹었습니다. 선재는 귤을 몇 개 먹었을까요?

개

은호는 밤을 **9**개 땄고 수지는 은호보다 **1**개 적게 땄습니다. 수지는 밤을 몇 개 땄을까요?

개

예원이는 올해 **8**살입니다. 예원이는 작년에 몇 살이었을까요?

살

빈칸에 알맞은 수를 써넣고 알맞은 말에 ◯표 하세요.

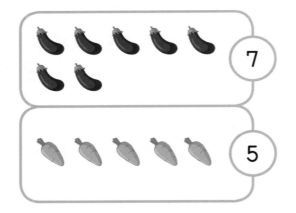

🍆는 🥔보다 ( (많습니다) , 적습니다 ).

🥔은 🍆보다 ( 많습니다 , (적습니다) ).

7은 5보다 ( 큽니다 , 작습니다 ).

5는 7보다 ( 큽니다 , 작습니다 ).

⭐은 ☆보다 ( 많습니다 , 적습니다 ).

☆은 ⭐보다 ( 많습니다 , 적습니다 ).

9는 10보다 ( 큽니다 , 작습니다 ).

10은 9보다 ( 큽니다 , 작습니다 ).

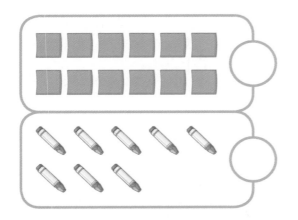

⬜는 ✏보다 ( 많습니다 , 적습니다 ).

✏는 ⬜보다 ( 많습니다 , 적습니다 ).

12는 8보다 ( 큽니다 , 작습니다 ).

8은 12보다 ( 큽니다 , 작습니다 ).

수만큼 ○를 그리고 빈칸에 알맞은 수를 써넣으세요.

4 는 3 보다 큽니다.

☐은 ☐보다 작습니다.

☐은 ☐보다 큽니다.

☐는 ☐보다 작습니다.

☐은 ☐보다 큽니다.

☐은 ☐보다 작습니다.

더 큰 수에 ◯표 하세요.

| (7) | 3 |
| --- | --- |

7은 3보다 큽니다.

| 7 | ◯◯◯◯◯◯◯ |
| 3 | ◯◯◯ |

| 5 | 6 |
| --- | --- |

| 1 | 4 |
| --- | --- |

| 9 | 7 |
| --- | --- |

| 8 | 5 |
| --- | --- |

| 2 | 3 |
| --- | --- |

| 6 | 8 |
| --- | --- |

| 5 | 10 |
| --- | --- |

| 11 | 9 |
| --- | --- |

| 12 | 10 |
| --- | --- |

| 15 | 13 |
| --- | --- |

| 10 | 11 |
| --- | --- |

| 18 | 19 |
| --- | --- |

| 17 | 14 |
| --- | --- |

| 12 | 16 |
| --- | --- |

📖 주어진 수를 빈칸에 알맞게 써넣으세요.

| 1 | 2 |

2 는 1 보다 큽니다.

☐ 은 ☐ 보다 작습니다.

| 5 | 4 |

☐ 는 ☐ 보다 큽니다.

☐ 는 ☐ 보다 작습니다.

| 6 | 10 |

☐ 은 ☐ 보다 큽니다.

☐ 은 ☐ 보다 작습니다.

| 9 | 7 |

☐ 는 ☐ 보다 큽니다.

☐ 은 ☐ 보다 작습니다.

| 18 | 16 |

☐ 은 ☐ 보다 큽니다.

☐ 은 ☐ 보다 작습니다.

| 11 | 12 |

☐ 는 ☐ 보다 큽니다.

☐ 은 ☐ 보다 작습니다.

🔖 가장 큰 수에 ○표, 가장 작은 수에 △표 하세요.

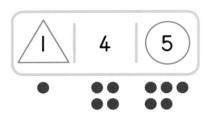

| 8 | 9 | 7 |
|---|---|---|

| 7 | 4 | 6 |
|---|---|---|

| 3 | 6 | 5 |
|---|---|---|

| 10 | 14 | 15 |
|---|---|---|

| 19 | 17 | 18 |
|---|---|---|

| 15 | 13 | 12 |
|---|---|---|

| 11 | 14 | 13 |
|---|---|---|

| 12 | 9 | 11 |
|---|---|---|

| 10 | 13 | 16 |
|---|---|---|

■ 빈칸에 알맞은 수를 써넣으세요.

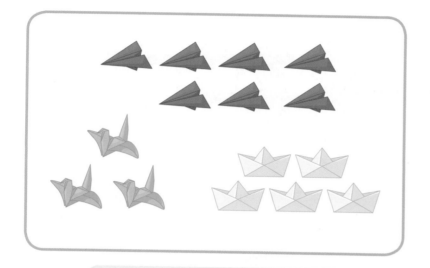

가장 큰 수는 ☐ 입니다.

가장 큰 수는 ☐ 입니다.

# 24<sub>강</sub> 보다 큰 수, 보다 작은 수

📘 조건에 맞는 수에 모두 색칠해 보세요.

**5보다 작은 수**    5보다 작은 수에는 5가 포함되지 않습니다.

( **1** )-( **2** )-( **3** )-( **4** )-( 5 )-( 6 )-( 7 )-( 8 )-( 9 )

**7보다 큰 수**

( 1 )-( 2 )-( 3 )-( 4 )-( 5 )-( 6 )-( 7 )-( 8 )-( 9 )

**17보다 작은 수**

( 10 )-( 11 )-( 12 )-( 13 )-( 14 )-( 15 )-( 16 )-( 17 )-( 18 )-( 19 )

**4보다 크고 9보다 작은 수**

( 1 )-( 2 )-( 3 )-( 4 )-( 5 )-( 6 )-( 7 )-( 8 )-( 9 )

**12보다 크고 15보다 작은 수**

( 10 )-( 11 )-( 12 )-( 13 )-( 14 )-( 15 )-( 16 )-( 17 )-( 18 )-( 19 )

📖 조건에 맞는 수에 모두 ◯표 하세요.

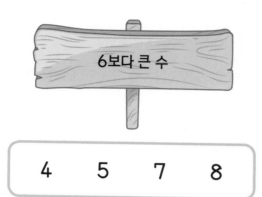

6보다 큰 수

4    5    7    8

8보다 작은 수

1    7    8    9

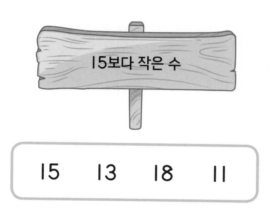

15보다 작은 수

15    13    18    11

1보다 크고
4보다 작은 수

1    3    5    2

10개씩 묶음 1개와
낱개 4개보다 큰 수

17    15    13    11

10개씩 묶음 1개와
낱개 2개보다 작은 수

12    15    10    11

빈칸에 알맞은 수를 써넣으세요.

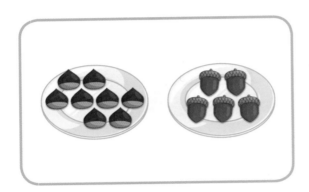

물건의 수를 비교할 때는 '많다', '적다'로 말하고,
수를 비교할 때는 '크다', '작다'로 말합니다.

밤은 8 개, 도토리는 ☐ 개 있습니다.

8 은 ☐ 보다 큽니다.

닭은 ☐ 마리, 병아리는 ☐ 마리 있습니다. ☐ 은 ☐ 보다 작습니다.

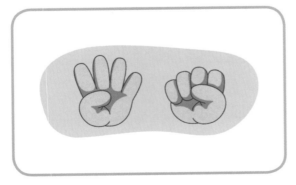

펼친 손가락은 ☐ 개, 접은 손가락은 ☐ 개 입니다. ☐ 는 ☐ 보다 작습니다.

빈칸에 알맞은 수 또는 말을 써넣으세요.

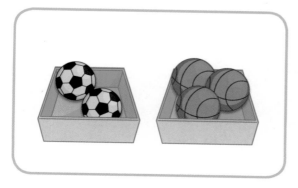

축구공은 ☐ 개, 농구공은 ☐ 개 있습니다.

축구공은 ☐ 보다 적습니다.

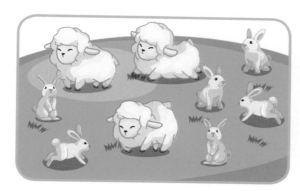

양은 ☐ 마리, 토끼는 ☐ 마리 있습니다.

☐ 는 ☐ 보다 많습니다.

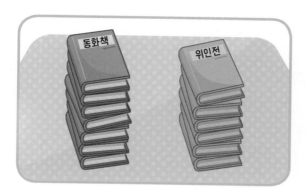

동화책은 ☐ 권, 위인전은 ☐ 권 있습니다.

☐ 은 ☐ 보다 적습니다.

■ 물음에 답하세요.

서연이는 색종이를 **7**장, 연준이는 **5**장 가지고 있습니다.
색종이를 더 많이 가지고 있는 사람은 누구일까요?

(      서연      )

서연 □□□□□□□
연준 □□□□□

책상이 **6**개, 의자가 **8**개 있습니다. 책상과 의자 중
더 적은 것은 무엇일까요?

(            )

연필이 **14**자루, 색연필이 **16**자루 있습니다.
연필과 색연필 중 더 많은 것은 무엇일까요?

(            )

민아는 **6**살, 준수는 **11**살입니다. 나이가 더 많은 사람은
누구일까요?

(            )

승기는 토마토는 **10**개 땄고 연수는 **9**개 땄습니다.
토마토를 더 적게 딴 사람은 누구일까요?

(            )

연산원리 · 상황판단 · 수학적사고 · 문제해결

# 교과 연산

정답

7세~초1

# Po

<수특강> 19까지의 수

HERO

정답

# 정답

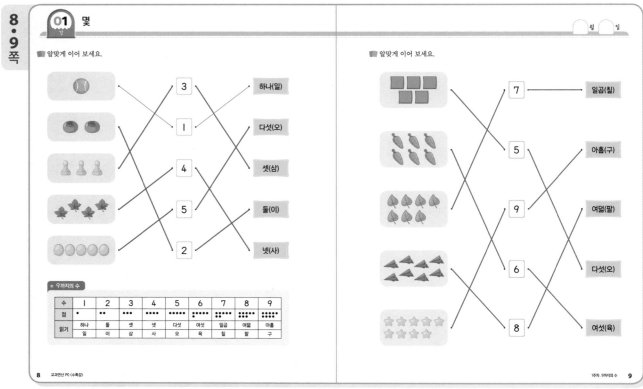

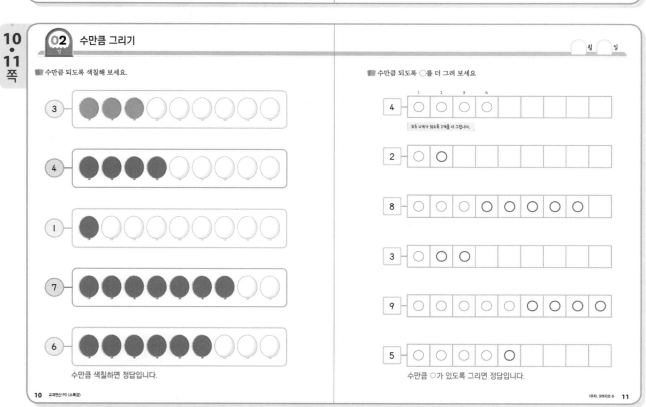

**03강 수 읽고 쓰기**

📖 빈칸에 알맞은 수 또는 말을 써넣으세요.

📖 다른 것 하나에 ✕표 하세요.

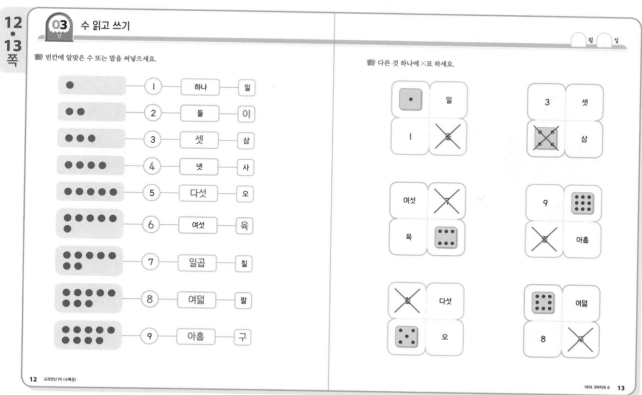

**04강 개수 세기**

📖 수를 세어 써 보세요.

📖 빈칸에 알맞은 수를 써넣으세요.

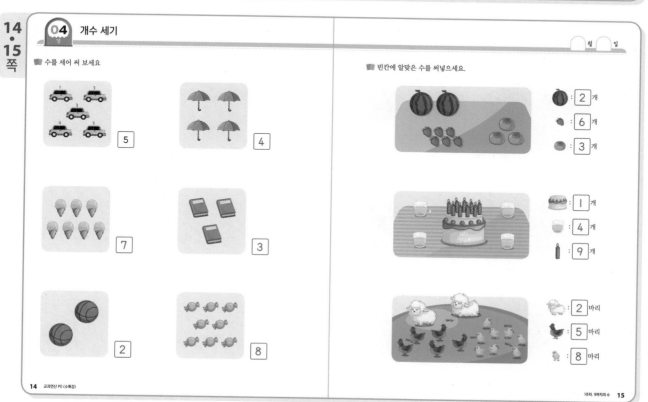

**05강 이야기하기**

월 일

■ 빈칸에 알맞은 수를 써넣으세요.

 접시 위에 밤이 [3] 개 있습니다.

접시 위에 밤이 세 개 있습니다.

 공원에 나무가 [6] 그루 있습니다.

 케이크에 초가 [8] 개 꽂혀 있습니다.

 양의 다리는 [4] 개입니다.

 펼친 손가락은 [7] 개,
접은 손가락은 [3] 개입니다.

■ 빈칸에 알맞은 수를 써넣으세요.

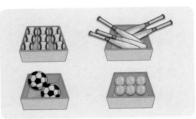

상자 안에 축구공이 [2] 개 있습니다.

상자 안에 야구공이 [9] 개 있습니다.

상자 안에 테니스공이 [6] 개 있습니다.

상자 안에 야구방망이가 [5] 개 있습니다.

상자는 [4] 개 있습니다.

■ 빈칸에 알맞은 수를 써넣어 아무 것도 없는 것을 알아보세요.

[3]　[2]　[1]　[0]

아무 것도 없는 것을 0이라 쓰고 '영'이라고 읽습니다.

[0]　[1]　[2]　[3]

[4]　[3]　[2]　[1]　[0]

## 06 십과 십몇

📖 10개씩 묶고 수로 나타내어 보세요. 알맞게 이어 보세요

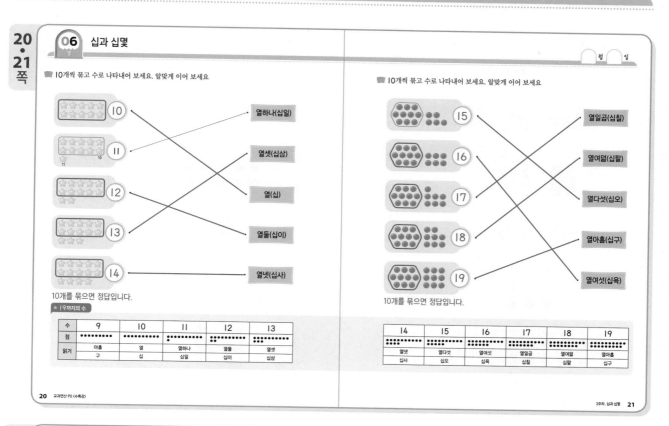

10개를 묶으면 정답입니다.

★ 19까지의 수

| 수 | 9 | 10 | 11 | 12 | 13 |
|---|---|---|---|---|---|
| 점 | ●●●●●●●●● | ●●●●●●●●●● | ●●●●●●●●●● ● | ●●●●●●●●●● ●● | ●●●●●●●●●● ●●● |
| 읽기 | 아홉 | 열 | 열하나 | 열둘 | 열셋 |
| | 구 | 십 | 십일 | 십이 | 십삼 |

📖 10개씩 묶고 수로 나타내어 보세요. 알맞게 이어 보세요

10개를 묶으면 정답입니다.

| 14 | 15 | 16 | 17 | 18 | 19 |
|---|---|---|---|---|---|
| ●●●●●●●●●● ●●●● | ●●●●●●●●●● ●●●●● | ●●●●●●●●●● ●●●●●● | ●●●●●●●●●● ●●●●●●● | ●●●●●●●●●● ●●●●●●●● | ●●●●●●●●●● ●●●●●●●●● |
| 열넷 | 열다섯 | 열여섯 | 열일곱 | 열여덟 | 열아홉 |
| 십사 | 십오 | 십육 | 십칠 | 십팔 | 십구 |

## 07 개수 세기

📖 수를 세어 써 보세요.

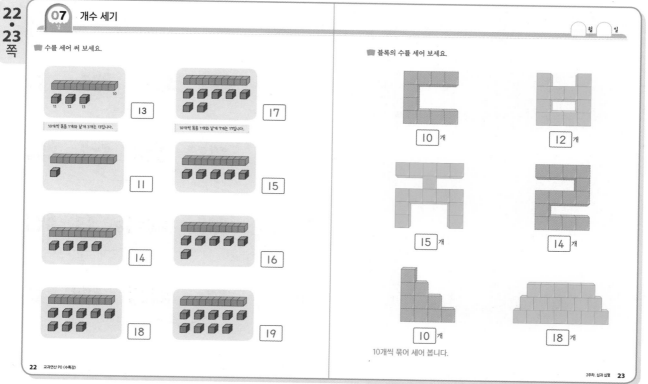

10개씩 묶음 1개와 낱개 3개는 13입니다.

10개씩 묶음 1개와 낱개 7개는 17입니다.

13

17

11

15

14

16

18

19

📖 블록의 수를 세어 보세요.

10 개

12 개

15 개

14 개

10 개

18 개

10개씩 묶어 세어 봅니다.

# 정답

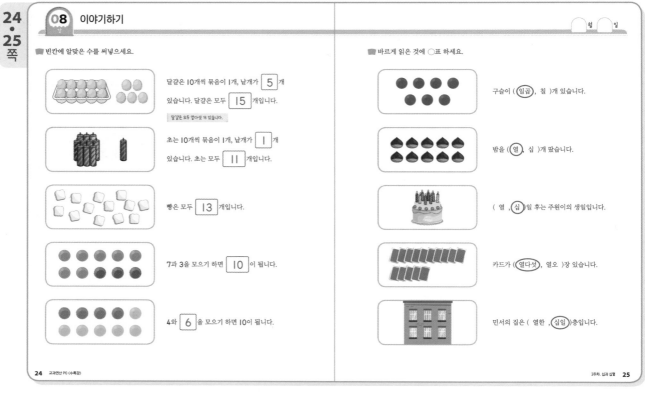

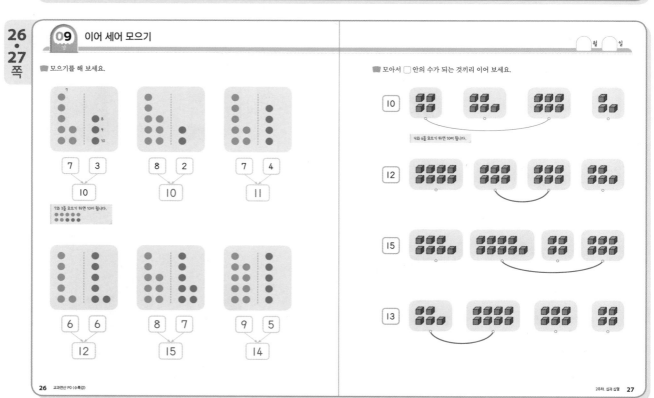

## 10 이어 세어 가르기

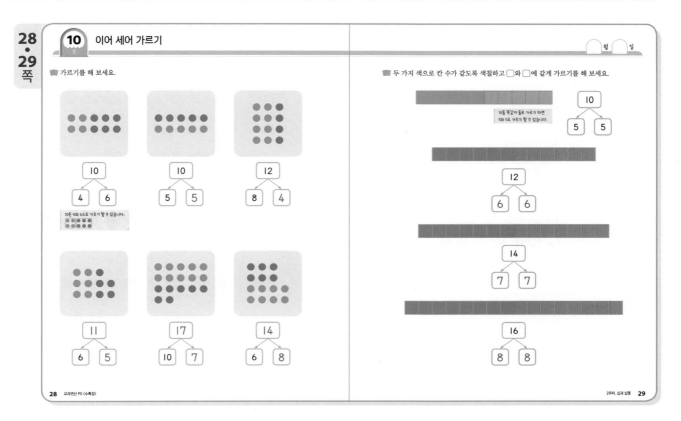

📖 가르기를 해 보세요.

📖 두 가지 색으로 칸 수가 같도록 색칠하고 ▢와 ▢에 같게 가르기를 해 보세요.

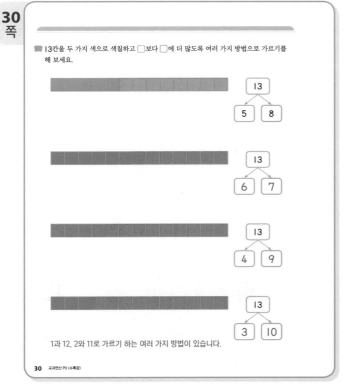

📖 13칸을 두 가지 색으로 색칠하고 ▢보다 ▢에 더 많도록 여러 가지 방법으로 가르기를 해 보세요.

1과 12, 2와 11로 가르기 하는 여러 가지 방법이 있습니다.

[교재 25쪽 참고]

### 셈수(우리말수)와 한자수

연속량이나 이름을 나타내는 수인 단위, 날짜, 층 수 등은 칠 센티미터 십오 층 등과 같이 한자수로 읽습니다.

개수를 셀 때는 일곱 개, 스물한 개 등과 같이 셈수로 읽습니다.

100 미만의 수에서 개수를 셀 때는 열 개와 같이 '셈수'로 읽는 것이 원칙이지만 수가 커지면 셈수인 예순 개와 한자수인 육십 개를 같이 사용하기도 합니다.

일반적으로 10까지는 셈수를 따지지만 그보다 큰 수는 셈수와 한자수를 혼용하기도 합니다. 하지만 학습적인 면에서는 원칙대로 개수를 셀 때 셈수로 읽는 연습을 하는 것이 좋습니다.

셈수를 쓰는 경우와 한자수를 쓰는 경우의 구분은 생활속에서 수를 자주 읽으면서 자연스럽게 익히는 것이 중요합니다.

# 정답

**11 몇째**

월 일

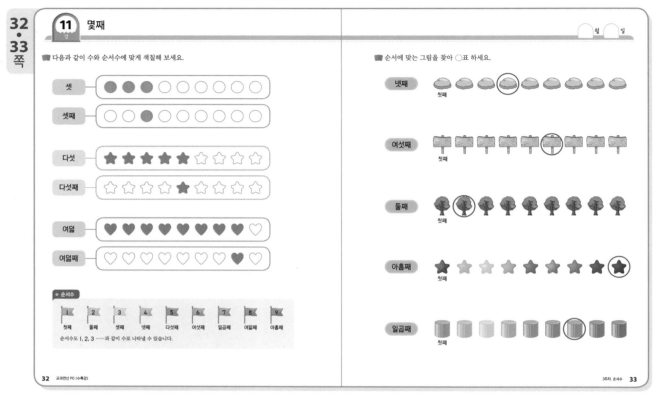

**12 순서 찾기**

월 일

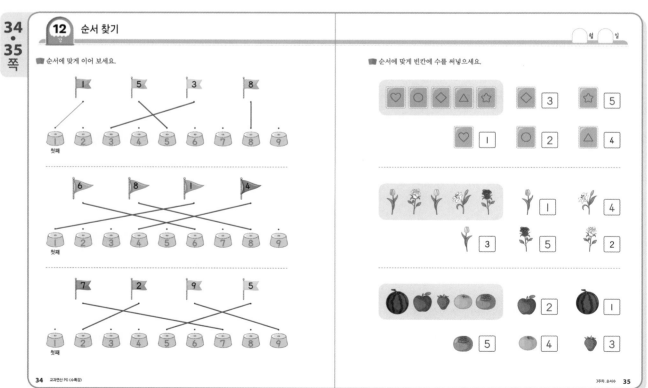

**13** 방향과 순서 (1)

■ 알맞게 이어 보세요.

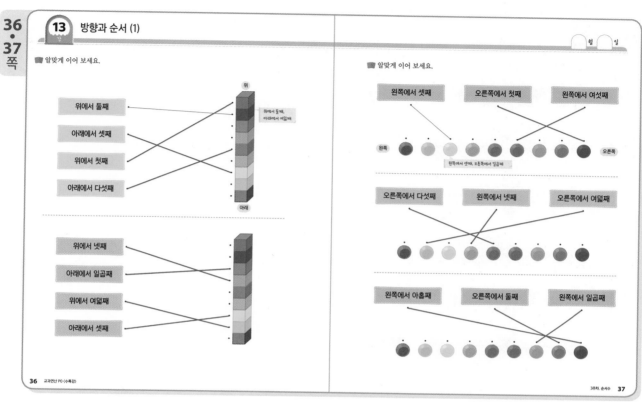

■ 알맞게 이어 보세요.

**14** 방향과 순서 (2)

■ 순서에 맞는 수 카드에 ○표 하세요.

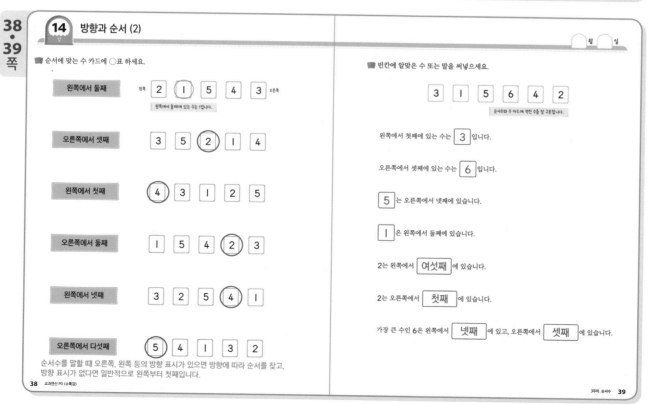

순서수를 말할 때 오른쪽, 왼쪽 등의 방향 표시가 있으면 방향에 따라 순서를 찾고,
방향 표시가 없다면 일반적으로 왼쪽부터 첫째입니다.

■ 빈칸에 알맞은 수 또는 말을 써넣으세요.

| 3 | 1 | 5 | 6 | 4 | 2 |

순서수와 수 카드에 적힌 수를 잘 구분합니다.

왼쪽에서 첫째에 있는 수는 3 입니다.

오른쪽에서 셋째에 있는 수는 6 입니다.

5 는 오른쪽에서 넷째에 있습니다.

1 은 왼쪽에서 둘째에 있습니다.

2는 왼쪽에서 여섯째 에 있습니다.

2는 오른쪽에서 첫째 에 있습니다.

가장 큰 수인 6은 왼쪽에서 넷째 에 있고, 오른쪽에서 셋째 에 있습니다.

**40·41쪽**

## 15 순서 추리

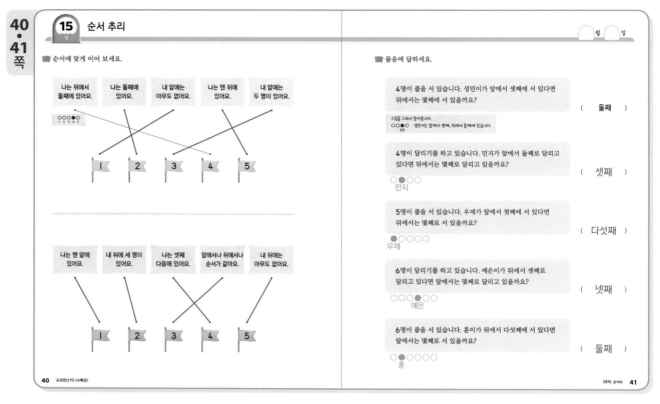

📖 순서에 맞게 이어 보세요.

| 나는 뒤에서 둘째에 있어요. | 나는 둘째에 있어요. | 내 앞에는 아무도 없어요. | 나는 맨 뒤에 있어요. | 내 앞에는 두 명이 있어요. |
|---|---|---|---|---|

○○○●●
1 2 3 4 5

깃발: 1  2  3  4  5

| 나는 맨 앞에 있어요. | 내 뒤에 세 명이 있어요. | 나는 셋째 다음에 있어요. | 앞에서나 뒤에서나 순서가 같아요. | 내 뒤에는 아무도 없어요. |
|---|---|---|---|---|

깃발: 1  2  3  4  5

📖 물음에 답하세요.

4명이 줄을 서 있습니다. 성민이가 앞에서 셋째에 서 있다면 뒤에서는 몇째에 서 있을까요?

( **둘째** )

그림을 그려서 알아봅니다.
○○●○  성민이는 앞에서 셋째, 뒤에서 둘째에 있습니다.
성민

4명이 달리기를 하고 있습니다. 민지가 앞에서 둘째로 달리고 있다면 뒤에서는 몇째로 달리고 있을까요?

○●○○
민지

( **셋째** )

5명이 줄을 서 있습니다. 우재가 앞에서 첫째에 서 있다면 뒤에서는 몇째에 서 있을까요?

●○○○○
우재

( **다섯째** )

6명이 달리기를 하고 있습니다. 예은이가 뒤에서 셋째로 달리고 있다면 앞에서는 몇째로 달리고 있을까요?

○○○●○○
예은

( **넷째** )

6명이 줄을 서 있습니다. 훈이가 뒤에서 다섯째에 서 있다면 앞에서는 몇째에 서 있을까요?

○●○○○○
훈

( **둘째** )

**42쪽**

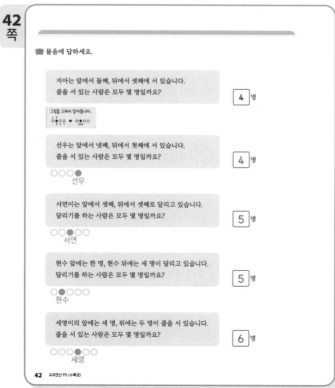

📖 물음에 답하세요.

지아는 앞에서 둘째, 뒤에서 셋째에 서 있습니다. 줄을 서 있는 사람은 모두 몇 명일까요?

**4** 명

그림을 그려서 알아봅니다.
1  2
○○●○○
3  2  1

선우는 앞에서 넷째, 뒤에서 첫째에 서 있습니다. 줄을 서 있는 사람은 모두 몇 명일까요?

○○○●
선우

**4** 명

서연이는 앞에서 셋째, 뒤에서 셋째로 달리고 있습니다. 달리기를 하는 사람은 모두 몇 명일까요?

○○●○○
서연

**5** 명

현수 앞에는 한 명, 현수 뒤에는 세 명이 달리고 있습니다. 달리기를 하는 사람은 모두 몇 명일까요?

○●○○○
현수

**5** 명

세영이의 앞에는 세 명, 뒤에는 두 명이 줄을 서 있습니다. 줄을 서 있는 사람은 모두 몇 명일까요?

○○○●○○
세영

**6** 명

## 16 순서대로 쓰기

📓 순서에 맞게 수를 써 보세요.

📓 규칙을 찾아 순서에 맞게 수를 써 보세요.

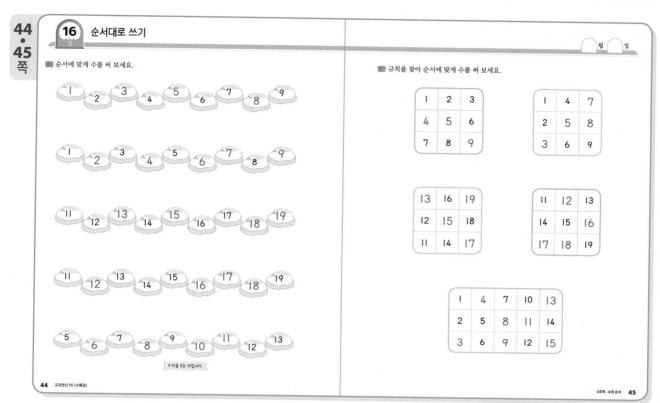

| 1 | 2 | 3 |
|---|---|---|
| 4 | 5 | 6 |
| 7 | 8 | 9 |

| 1 | 4 | 7 |
|---|---|---|
| 2 | 5 | 8 |
| 3 | 6 | 9 |

| 13 | 16 | 19 |
|----|----|----|
| 12 | 15 | 18 |
| 11 | 14 | 17 |

| 11 | 12 | 13 |
|----|----|----|
| 14 | 15 | 16 |
| 17 | 18 | 19 |

| 1 | 4 | 7 | 10 | 13 |
|---|---|---|----|----|
| 2 | 5 | 8 | 11 | 14 |
| 3 | 6 | 9 | 12 | 15 |

*9 다음 수는 10입니다.

## 17 선 잇기

📓 수를 순서대로 이어 보세요.

📓 수를 순서대로 이어 보세요.

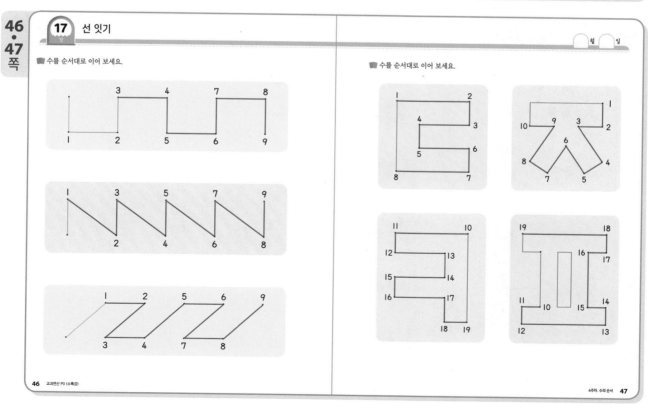

**48·49쪽**

**18 거꾸로 쓰기**

월 일

■ 순서를 거꾸로 하여 수를 써 보세요.

4 – 3 – 2 – 1

9 – 8 – 7 – 6

6 – 5 – 4 – 3

19 – 18 – 17 – 16

17 – 16 – 15 – 14

11 – 10 – 9 – 8

9 – 8 – 7 – 6 – 5 – 4 – 3 – 2 – 1

19 – 18 – 17 – 16 – 15 – 14 – 13 – 12 – 11

14 – 13 – 12 – 11 – 10 – 9 – 8 – 7 – 6

■ 규칙을 찾아 순서를 거꾸로 하여 수를 써 보세요.

| 9 | 8 | 7 |
|---|---|---|
| 6 | 5 | 4 |
| 3 | 2 | 1 |

| 9 | 6 | 3 |
|---|---|---|
| 8 | 5 | 2 |
| 7 | 4 | 1 |

| 19 | 18 | 17 |
|----|----|----|
| 16 | 15 | 14 |
| 13 | 12 | 11 |

| 19 | 16 | 13 |
|----|----|----|
| 18 | 15 | 12 |
| 17 | 14 | 11 |

| 15 | 10 | 9 | 4 | 3 |
|----|----|---|---|---|
| 14 | 11 | 8 | 5 | 2 |
| 13 | 12 | 7 | 6 | 1 |

**50·51쪽**

**19 1 큰 수, 1 작은 수 (1)**

월 일

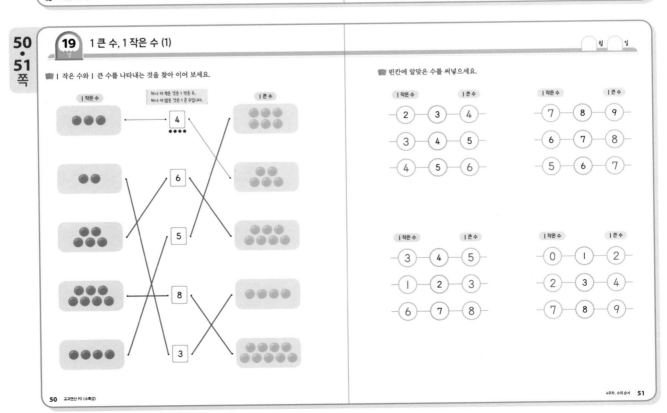

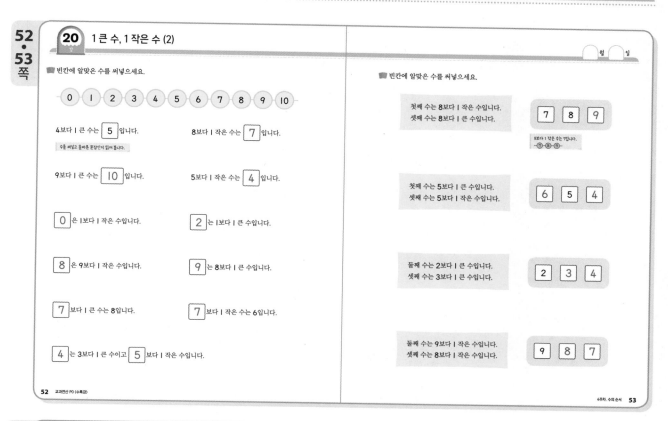

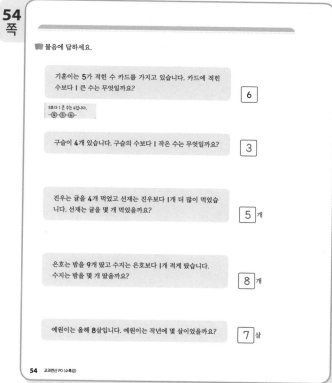

# 정답

56·57쪽

## 21강 두 수의 크기 비교 (1)

월 일

빈칸에 알맞은 수를 써넣고 알맞은 말에 ◯표 하세요.

7

5

는 보다 ( **많습니다** , 적습니다 ).
은 보다 ( 많습니다 , **적습니다** ).

7은 5보다 ( **큽니다** , 작습니다 ).
5는 7보다 ( 큽니다 , **작습니다** ).

9

10

은 보다 ( 많습니다 , **적습니다** ).
은 보다 ( **많습니다** , 적습니다 ).

9는 10보다 ( 큽니다 , **작습니다** ).
10은 9보다 ( **큽니다** , 작습니다 ).

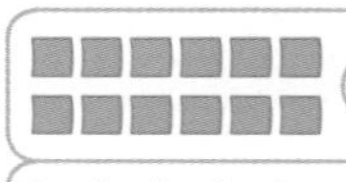
12

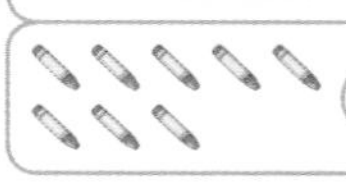
8

는 보다 ( **많습니다** , 적습니다 ).
는 보다 ( 많습니다 , **적습니다** ).

12는 8보다 ( **큽니다** , 작습니다 ).
8은 12보다 ( 큽니다 , **작습니다** ).

수만큼 ◯를 그리고 빈칸에 알맞은 수를 써넣으세요.

| | | | | | | | | | | |
|---|---|---|---|---|---|---|---|---|---|---|
| 3 | ◯ | ◯ | ◯ | | | | | | | |
| 4 | ◯ | ◯ | ◯ | ◯ | | | | | | |

4 는 3 보다 큽니다. 3 은 4 보다 작습니다.

| | | | | | | | | | | |
|---|---|---|---|---|---|---|---|---|---|---|
| 6 | ◯ | ◯ | ◯ | ◯ | ◯ | ◯ | | | | |
| 5 | ◯ | ◯ | ◯ | ◯ | ◯ | | | | | |

6 은 5 보다 큽니다. 5 는 6 보다 작습니다.

| | | | | | | | | | | |
|---|---|---|---|---|---|---|---|---|---|---|
| 8 | ◯ | ◯ | ◯ | ◯ | ◯ | ◯ | ◯ | ◯ | | |
| 10 | ◯ | ◯ | ◯ | ◯ | ◯ | ◯ | ◯ | ◯ | ◯ | ◯ |

10 은 8 보다 큽니다. 8 은 10 보다 작습니다.




58·59쪽

## 22강 두 수의 크기 비교 (2)

월 일

더 큰 수에 ◯표 하세요.

| | | |
|---|---|---|
| (7) 3 | 5 (6) | 1 (4) |
| (9) 7 | (8) 5 | 2 (3) |
| 6 (8) | 5 (10) | (11) 9 |
| (12) 10 | (15) 13 | 10 (11) |
| 18 (19) | (17) 14 | 12 (16) |

7은 3보다 큽니다.
7 ◯◯◯◯◯◯◯
3 ◯◯◯

주어진 수를 빈칸에 알맞게 써넣으세요.

1 2
2 는 1 보다 큽니다.
1 은 2 보다 작습니다.

5 4
5 는 4 보다 큽니다.
4 는 5 보다 작습니다.

6 10
10 은 6 보다 큽니다.
6 은 10 보다 작습니다.

9 7
9 는 7 보다 큽니다.
7 은 9 보다 작습니다.

18 16
18 은 16 보다 큽니다.
16 은 18 보다 작습니다.

11 12
12 는 11 보다 큽니다.
11 은 12 보다 작습니다.

**23강 가장 큰 수**

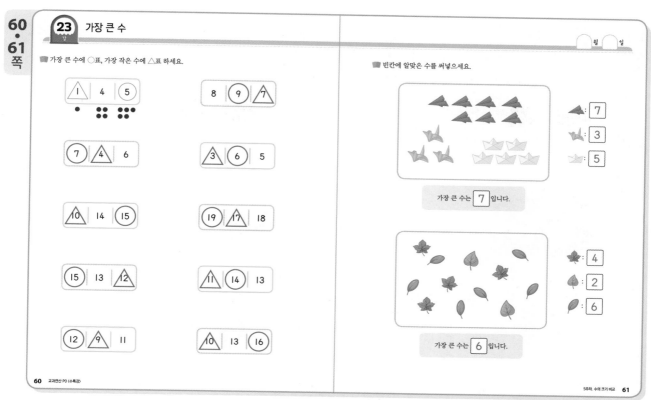

**24강 보다 큰 수, 보다 작은 수**

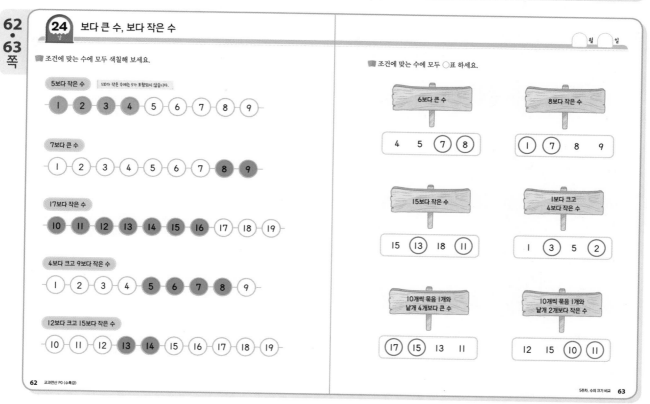

64·65쪽

**25** 이야기하기

📖 빈칸에 알맞은 수를 써넣으세요.

물건의 수를 비교할 때는 '많다', '적다'로 말하고,
수를 비교할 때는 '크다', '작다'로 말합니다.

밤은 **8** 개, 도토리는 **5** 개 있습니다.
**8** 은 **5** 보다 큽니다.

닭은 **3** 마리, 병아리는 **4** 마리 있습
니다. **3** 은 **4** 보다 작습니다.

펼친 손가락은 **4** 개, 접은 손가락은 **6** 개
입니다. **4** 는 **6** 보다 작습니다.

📖 빈칸에 알맞은 수 또는 말을 써넣으세요.

축구공은 **2** 개, 농구공은 **3** 개 있습니다.
축구공은 **농구공** 보다 적습니다.

양은 **3** 마리, 토끼는 **6** 마리 있습니다.
**토끼** 는 **양** 보다 많습니다.

동화책은 **7** 권, 위인전은 **6** 권 있습니다.
**위인전** 은 **동화책** 보다 적습니다.

64 교과연산 P0 〈수특강〉

5주차. 수의 크기 비교 65

66쪽

📖 물음에 답하세요.

서연이는 색종이를 7장, 연준이는 5장 가지고 있습니다.
색종이를 더 많이 가지고 있는 사람은 누구일까요?
( 서연 )

서연 ☐☐☐☐☐☐☐
연준 ☐☐☐☐☐

책상이 6개, 의자가 8개 있습니다. 책상과 의자 중
더 적은 것은 무엇일까요?
( 책상 )

연필이 14자루, 색연필이 16자루 있습니다.
연필과 색연필 중 더 많은 것은 무엇일까요?
( 색연필 )

민아는 6살, 준수는 11살입니다. 나이가 더 많은 사람은
누구일까요?
( 준수 )

승기는 토마토를 10개 땄고 연수는 9개 땄습니다.
토마토를 더 적게 딴 사람은 누구일까요?
( 연수 )

66 교과연산 P0 〈수특강〉

하루 한 장 75일
집중 완성

# 교과
# 연산

"연산을 이해하려면 수를 먼저 이해해야 합니다."

"계산은 문제를 해결하는 하나의 과정입니다."

"교과연산은 상황을 판단하는 능력을 길러주는 연산입니다."